Ò MO CHREACH
AN OCHD-CHASACH!

Dhaibhsan uile a tha a' cur fàilte air coigrich,
biodh iad le ochd-chasan no dhà. P.B

A' cuimhneachadh air Holly, ar cuilean beag teasraigte
a tha beò ann an duilleagan an leabhair seo. – SL

A' chiad fhoillseachadh le Nosy Crow Eàrr.
The Crow's Nest, 14 Baden Place, Crosby Row, Lunnainn SE1 1YW

Tha Nosy Crow agus na suaicheantasan co-cheangailte nan comharran-malairt agus/no nan comharran-malairt clàraichte aig Nosy Crow Eàrr.

1 3 5 7 9 8 6 4 2

A' chiad fhoillseachadh sa Ghàidhlig ann an 2021 le Acair
An Tosgan, Rathad Shìophoirt, Steòrnabhagh, Eilean Leòdhais HS1 2SD

info@acairbooks.com www.acairbooks.com

An tionndadh Gàidhlig Doileag NicLeòid
An dealbhachadh sa Ghàidhlig le Mairead Anna NicLeòid

Tha Acair a' faighinn taic bho Bhòrd na Gàidhlig.

Tha clàr catalog CIP ri fhaotainn airson an leabhair seo bho Leabharlann Bhreatainn.

Clò-bhuailte ann an Sìona

Tha Nosy Crow a cleachdadh pàipear bho chraobhan a chaidh fhàs ann an coilltean seasmhach.

LAGE/ISBN: 978-1-78907-088-0

Riaghladair Carthannas na h-Alba
Carthannas Clàraichte/
Registered Charity SC047866

Ò MO CHREACH AN OCHD-CHASACH!

PETER BENTLY & STEVEN LENTON

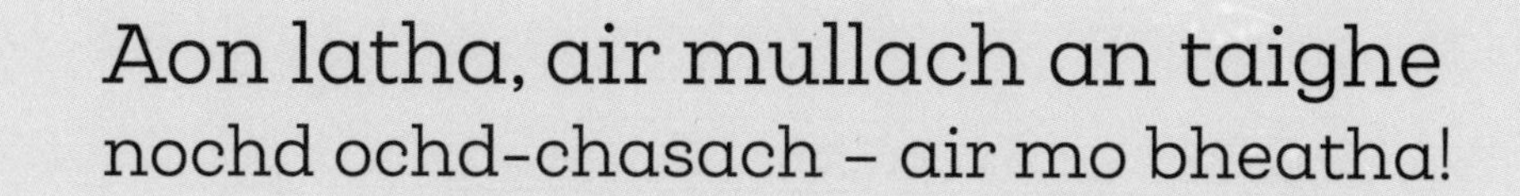

Aon latha, air mullach an taighe
nochd ochd-chasach – air mo bheatha!

Thuirt ar nàbaidh a' Bh-ph Antrobusach
"Cha toigh leam idir an ochd-chasach!
Air mullach taighe, chan eil sin idir ciallach.
Tha e da-rìribh a coimhead gòrach."

Chuir i fios air an luchd-smàlaidh,
cha do charaich, 's cho do ghluais e.

An-toiseach, shuidh e ann an sin,
is cas mu cheann

Greis ri norrag agus an uair sin abair srann!

Ach, a' cluich le ar caraidean a' ruith is a' leum
thuirt sinn ris "Bheil thu ag iarraidh gèam?"
An-toiseach chluich sinn tilg is glac
an uairsin air ball-coise thug sinn slaic.

Smaoinich fhèin, an ochdnar againn
air biast de dh'ochd-chasach a' feuchainn
tarsaing!

An geama seachad, ach tuilleadh spòrs -
air muin ochd-chasach, fealla-dhà gu leòr.

Bha sinn air a chasan a' cleasachd.
sìos mar slaighd, b' e siud an **cur-seachad**!

Gu luath gun do thuig sinn
gu robh esan cho grinn
fear nach dèanadh càil ceàrr
cò ach ar **caraid** gu h-àrd.

Air madainn shoilleir làn den ghrèin,
chrochte an aodach air a chasan fhèin.

Chladhaich e an gàrradh, is thog e seada,
le chasan a' dol pheant e an fheansa.

Thog e m' itealag a bha steigte ann an craobh
mus do sheall mi rium fhìn, bha i agam
rim thaobh.

Thog e an teadaidh bochd aig Gracie
Nuair sìos tro na pìoban gun deach e.
(Ach bhon latha sin a-mach –
gu sealladh an samh!)

Sguab e na duilleagan.

Ghlan e an sneachd.

Shàth e an càr le uile neart.

Aig àm na Nollaig – b' esan an sealladh
Cha robh craobh nas deàlraich nan
ochd-chasach againn!

Bha sinn uile cho **gràdhach**
air an ochd-chasach nar dachaigh.

Fiù a' Bh-ph Antrobusach
dh'fhàs measail air an ochd-chasach.
O chionn shabhail e a h-ad
agus Ruadhan – a cat.

Thuirt a h-uile duine rinn

"B' fheàrr leinne gu robh ochd-chasach AGAINNE!"

(Ach am bèicear, Fearghas, a thuirt, b' fheàrr leamsa an airgead.")

Aon latha nuair a dhùisg sinn
bha an ochd-chasach air **falbh** bhuainn.

Ach, càite an **deach** e? Bha sinn uile cho brònach.
Ag ionndrainn ar ochd-chasach dòigheil.

Ach tron oidhche – dè bhrag
a bha siud?
Mach leinn dhan ghàrradh le fruis.

"Gu sealladh" "Mort mhòr" Dè a bh' ann?
Thuirt sinne ann an guthan beag fann.

Rudeigin iongantach, mìorbhaileach,
ioma-chasach....

… ar
ochd-chasach mòr fhèin
air ais bho thìrean cèin.
Ach, chan e sin deireadh na sgeòil …

… or thug e dhachaigh leis a luchd-eòlais!